まちごとチャイナ
重慶 003

三峡下り（重慶〜宜昌）
長江「悠久」
［モノクロノートブック版］

JN121905

チベット高原に発し、重慶、宜昌、武漢、上海へと流れる全長6380kmの大河長江。とくに四川盆地から平原へ出る地にあたる瞿塘峡、巫峡、西陵峡の三峡は長江でもっとも美しく、流れが急な難所として知られてきた。

　三峡付近の峡谷では両岸から断崖絶壁がせまり、その景観は杜甫や李白、白居易といった唐代の詩人たちにたたえられてきた。また三国時代に劉備玄徳が没した白帝城や、劉備の武将である張飛廟が残るなど『三国志』に関係する遺構も多く残る。

　こうしたなか、2009年に中国随一の大河長江をせきとめる世界最大級の三峡ダムが建設されたことで、長江の水位が上昇し、多くの街や遺構が水没した。三峡の景観は随分と変わり、小三峡や小小三峡などの新しい景勝地が注目され、宜昌（湖北省）から重慶まで大型船が往来するようになった。

まちごとチャイナ｜重慶003｜

三峡下り
重慶〜宜昌

長江「悠久」

Asia City Guide Production
Chongqing 003
Sanxia

三峡／sān xiá／サンシィア

「アジア城市（まち）案内」制作委員会
まちごとパブリッシング

Contents

四川と西南中国

開封
鄭州
洛陽
黄河
宝鶏
西安
甘粛省
陝西省
河南省
九寨溝
漢中
広元
巴中
湖北省
綿陽
長江
三峡
徳陽
四川省
宜昌
武漢
都江堰
大足
重慶市
青城山
成都
楽山
重慶
長沙
湖南省
貴州省
貴陽
昆明
雲南省
広西チワン族自治区
広東省
広州
東莞
深圳
南寧
マカオ
香港
ベトナム
ハノイ
南海
ラオス
0km
海南省
海口
1000km
N

重慶

★★★
重慶／重庆 チョンチン

★★☆
万州区／万州区 ワンチョウチュウ

★☆☆
涪陵／涪陵 フウリン

豊都／丰都 フェンドゥ

忠県／忠县 チョンシィアン

奉節／奉节 フェンジエ

Introduction

音に聞こえる三峡へ

中国随一の流れをもつ悠久の大河長江
唐代の詩人はそのほとりの景観を詠い
また三国志をはじめとする歴史の舞台となってきた

悠久の大河長江

　華北平原を流れる黄河に対して、江南を潤す中国随一の
大河長江(中国では川を北方では「河」、南方では「江」と言う)。その流
域に恵みをもたらし、ときに洪水被害をあたえることから、
長江は荒れ狂う龍にもたとえられる。源流のあるチベット
高原から重慶までの川幅は狭く、三峡を越え、下流にいたれ
ば川幅は1kmを超し、河口部では91kmになる。長江はその流
域ごとに大きく姿を変え、古来から漁業や農業用水で使わ
れ、物資を運ぶ交通網として利用されてきた。中国沿岸部と
内陸部を結ぶ黄金水道と呼ばれ、竜頭の上海から龍尾の重
慶まで2500kmの距離がある。

三峡とは

　三峡はかつて四川省の一部だった重慶市の白帝城から、
湖北省西部の南津関にいたる240kmの峡谷で、とくに両岸か
ら絶壁がせまる瞿塘峡、巫峡、西陵峡をさす(前者ふたつが重慶
市、後者が湖北省に位置する)。美しい地質が連なるこのあたりは
長江が大巴山脈を横切って湖北平野に流れ出るところで、
三峡を抜けると長江は一気に川幅を拡大させる。2009年
の三峡ダムの完成で水位があがったが、川幅が狭く暗礁の

多い三峡は古来、水夫たちを苦しめた長江最大の難所でもあった。

世界最大の三峡ダム

　膨大な水量を電力に使うこと、農業用水としての利用、洪水対策など、長江の開発は中国の悲願であった。三峡ダムは1919年に孫文によって提唱されて以来、90年が過ぎた2009年に完成した。全長1983m、高さ185mの世界最大規模のダムで、発電量は846億キロワットになる。三峡ダムから600km上流の重慶までを貯水湖とし、水位が上昇した長江をたどって大型船が重慶に到達できるようになった。一方、ダムの建設にあたって、多くの村や遺構が水没し、生態系への影響も大きかったという。

長江と黄河

0km　　　　　　　　　　　　3000km

★★★
重慶／重庆 チョンチン
瞿塘峡／瞿塘峡 チュウタンシィア
巫峡／巫峡 ウゥシィア
西陵峡／西陵峡 シィイリンシィア
武漢／武汉 ウゥハァン

★★☆
万州区／万州区 ワンチョウチュウ
小三峡／小三峡 シャオサンシィア
小小三峡／小小三峡 シャオシャオサンシィア
三峡ダム／三峡大坝 サンシィアダァアバア

★☆☆
豊都／丰都 フェンドゥ
巴東／巴东 バァアドン
宜昌／宜昌 イィチャン
荊州／荆州 ジンチョウ

内陸最大の都市重慶から三峡下りははじまる

客船、業務用の船などさまざまな船が往来する長江

重慶万州城市案内

三峡下りの起点となる重慶
嘉陵江と長江が合流する内陸の港町で
ここから650km下流の宜昌へと向かう

重慶／重庆★★★
chóng qìng
じゅせいこう／チョンチン

　重慶は上海から長江をさかのぼること2500kmに位置する内陸都市(北京、上海、天津に続く直轄市)。嘉陵江と長江が合流する地点の朝天門がこの街の歴史的な港で、岩山に街が展開することから「山城」と呼ばれる。多くの船が往来し、長江を通じてもたらされた物資を竹の棒で運ぶ労働者「棒棒(バンバン)」の姿も見られる。成都や雲南方面などへの起点にもなり、三峡ダムの完成以来、大型船が重慶まで遡行できるようになった。

長寿／长寿★☆☆
cháng shòu
じゅせいこう／チャンショウ

　重慶市街から100kmほど離れ、「長寿伝説」が伝えられる長寿の街。明代、この地を訪れた官吏が150歳になる老人と出会い、それを皇帝に報告したところ、長寿と名づけられた(それ以前は楽温と呼ばれていた)。三峡ダムの建設で、古い街は水没し、丘陵に新市街がつくられた。

重慶市街

重慶空港へ

地鉄5号線

重慶北駅

朝天門
長江大橋

地鉄6号線

両江新区

観音橋

磁器口
磁器口

朝天門
広場

人民
大礼堂

嘉陵江
石門大橋

旧市街

解放碑

嘉陵江

両路口

較場口

紅岩革命
紀念館

重慶駅

長江
大橋

地鉄1号線

大坪

長江

地鉄2号線

鵝公岩
大橋

N

0km

10km

重慶～万州

三峡へ

万州区

石宝寨

忠県

石柱土家族
自治県

四川省

湖北省

鬼城
豊都

長寿 ● 雪玉洞

重慶
東港 ● 涪陵

重慶

重慶市

貴州省

N

0km 100km

涪陵／涪陵★☆☆
fú líng
じゅせいこう／フウリン

　南から流れる烏江が長江に合流する地点に開けた涪陵。巴国の都がおかれるなど2000年以上の歴史をもつ街で、北宋代、哲学者の程頤がここに左遷されたこともある。この街の名産としてザーサイが知られ、19世紀なかばからザーサイがつくられている（ザーサイは青頭菜の根を岩塩などで熟成させる）。また三峡ダムの影響で水中に沈んだ白鶴梁水題刻、対岸の北山山腹にある点易洞なども位置する。古く三峡とは重慶からこの涪陵（巴の三峡）までをさし、現在の三峡（巴東の三峡）をさすようになったのは5世紀ごろからだという。

豊都／丰都★☆☆
fēng dōu
じゅせいこう／フェンドゥ

　閻魔大王の伝説が伝えられ、冥界が再現された鬼城が位置する豊都。長江をはさんで豊都の街は南側に、鬼城は北側の平都山（豊都山）にあり、その山上には唐代に創建された道観が立つ。ここは死者の霊魂が集まる場所とされ、冥土の主催者として知られる道教の神様豊都大帝がまつられている（中国では死者の霊を鬼と言い、道教の豊都大帝は仏教の閻魔大王と同一視される）。鬼城の井戸は海に通じているとされ、ここから小動物などを投げ込むと翌日には長江に浮かびあがるとい

暗礁を示す標識、長江を行き交う船に伝える

船の出迎え、銅鑼と太鼓が鳴る

三天

07:00 屈原祠後航、供应早餐

08:30 上岸游览九畹溪

12:30 抵终点港太平溪、上岸游览
三峡大坝

以上时间均预计时间具体时
间以所广播通知为准

迎宾三号轮

何時にどこへ着く、ホワイトボードに記された行程表

「霧の都」重慶が三峡下りの出発点になる

万州区

N

万州
長江二橋

長江

北濱大道二段

万州
空港

一段

沙龍路

西山
公園

万州駅

0km

5km

う。また豊都から龍河を南にくだったところには中国最大
規模の鍾乳洞、雪玉洞が位置する。

冥府へと続く聖域

　中国の南北で大きくふたつの冥界への信仰系統があり、
北方では山東省泰山が、南方ではこの豊都が聖地とされて
いる（現世と冥界の境界と考えられている）。中国では古くから死
者の霊魂は山へ向かうと考えられ、とくに平原部から見て
三峡より奥の四川盆地は異民族が多く暮らし、人間と鬼が
雑居するような特異な場所とされてきた。道教では冥界の
ことを豊都と言い、古く豊民洲（砂岸台地）と呼ばれたこの地
が唐代から南宋時代に道教の豊都と重ねて見られるように
なった。

忠県／忠县★☆☆
zhōng xiàn
じゅせいこう／チョンシィアン

　重慶市街から長江を180㎞くだった地に位置する忠県。
古代巴国の都がおかれるなど2000年以上の歴史をもち、長
く忠州として知られていた。忠県の港からさらにくだった
長江北岸には、岩山を利用して立つ12階建て（高さ56m）の楼
閣、石宝寨が残っている。

この地に生きる土家族

　忠県東側にはこの地方の少数民族である土家族の自治県
がおかれている。土家族は古くから重慶市、湖北省、湖南省、
貴州省が交わるこの地方の山村に暮らし、それぞれ自治州

や自治県を形成している（同様に苗族も多く暮らすため、同一視されることもあった）。踊りや唄を得意とし、彼ら独自の言語土家語をもつが、長いあいだ漢族と隣接して暮らしてきたことから、現在ではほとんどの人が中国語を話す。

万州区／万州区 ★★☆
wàn zhōu qù
じゅせいこう／ワンチョウチュウ

　万州区は、重慶と宜昌を結ぶ水上交通の要衝（かつては万県の名前で呼ばれていた）。古くから長江を行き交う船の中継地点として知られた街で、三峡ダムの建設で古い街は水没したが、高台に新市街がつくられた。街の郊外には李白が読書をしたという太白岩が残っている。

船の出発の儀式

　長江では各地に難所があり、座礁や転覆、また盗賊に襲撃される心配があった。そのため航行する船の無事を祈って、長江の神様に豚や鳥などの犠牲を捧げる儀式が行なわれた（難所中の難所では船が行列をつくることもあったという）。出発にあたっては唄や踊りがふるまわれ、銅鑼や爆竹を鳴らして船は盛大に送り出された。

万州巫峡城市案内

**李白が詠んだ白帝城を発つと両岸には絶壁がせまり
「三里行けば曲がり、五里行けば浅瀬」
と言われた三峡へ入る**

雲陽／云阳★☆☆
yún yáng
じゅせいこう／ユンヤン

　万州区から50kmほどくだったところに位置する雲陽。三国志の「蜀の武将」張飛の首がここに流れつき、そのとき張飛廟が建てられた（221年、関羽の仇討ちのための呉討伐の際、部下に暗殺された）。その後、1870年の洪水で流されるなどしたが重修され、この地方の人々の信仰を集めている。雲陽は湿度が高く、重慶より夏の暑さが厳しいという。

奉節／奉节★☆☆
fèng jié
じゅせいこう／フェンジエ

　ちょうど三峡西側に入口に位置する奉節。この街を過ぎると、長江の両岸に高い山々がそびえ峡谷へと入っていく。奉節から東5kmの地点に長江に面した要衝として2000年の歴史をもつ白帝城が残り、三国時代の劉備玄徳や諸葛孔明にまつわる遺構が見られる。白帝城はかつて長江に面した山城だったが、三峡ダムの完成で浮島のようになっている。また奉節近郊で収穫されるオレンジは有名で、奉節ではその果物を売る人々の姿もある。

白帝城／白帝城 ★★☆

bái dì chéng

じゅせいこう／バイディイチャン

　長江に浮かぶ白帝城は、36年に王莽政権から独立して蜀で皇帝を称した公孫述に築かれて以来、四川と江南を結ぶ要害として知られてきた。白帝城という名前は、公孫述が井戸から立つ白龍のような煙を見、自らを白帝と呼んだことにちなむ(陰陽五行説で蜀のある西方は「白」を象徴する)。以後、劉備玄徳も白帝城に拠点をおき、223年、呉の遠征に敗れた劉備玄徳はここで病没した。劉備玄徳や諸葛孔明の塑像が安置された明良殿、諸葛孔明や李自成が星を観察したという観星亭が残る(明代の1558年に改築された)。

劉備玄徳の最期

　呉遠征で敗れた劉備玄徳がふたりの子どもと蜀の未来を諸葛孔明に託した『白帝託孤』の故事で知られる白帝城。劉備は臨終に際して息子劉禅よりはるかに才能がある孔明に「劉禅の才能がなければ孔明が蜀の主となってほしい」と伝えた。これに対して孔明は「死ぬまで太子を支えます」と答え、のちの魏への北伐では劉禅に『出師の表』を捧げて劉備への忠義を示した。

★★★

瞿塘峡／瞿塘峡 チュウタンシィア

巫峡／巫峡 ウゥシィア

★★☆

万州区／万州区 ワンチョウチュウ

白帝城／白帝城 バイディイチャン

小三峡／小三峡 シャオサンシィア

★☆☆

雲陽／云阳 ユンヤン

奉節／奉节 フェンジエ

大渓文化遺址／大渓文化遗址 ダァシィウェンファアイィチィ

巴東／巴东 バァドン

数々の名作を生んだ「詩城」

　長江に臨み、瞿塘峡を見下ろす位置に立つ白帝城は、唐代の詩人李白や杜甫、白居易といった詩人に愛されてきた。中国最高の詩人にあげられる杜甫はこの白帝城に1年半滞在して400編もの詩をつくり、また杜甫にならび称される詩人李白はここで漢詩の傑作『早発白帝城』を詠んだ。

杜甫『秋興八首』

玉露凋傷楓樹林	玉露凋傷す楓樹の林
巫山巫峡気蕭森	巫山巫峡気蕭森
江間波浪兼天湧	江間の波浪は天を兼ねて湧き
塞上風雲接地陰	塞上の風雲は地に接して陰る
叢菊両開他日涙	叢菊両び開く他日の涙
孤舟一繋故園心	孤舟一に繋ぐ故園の心
寒衣処処催刀尺	寒衣処処刀尺を催し
白帝城高急暮砧	白帝城高くして暮砧急なり

李白『早発白帝城』

朝辞白帝彩雲間	朝に辞す白帝、彩雲の間
千里江陵一日還	千里の江陵、一日にして還る
両岸猿声啼不住	両岸の猿声、啼いてやまざるに
軽舟已過万重山	軽舟已に過ぐ万重の山

瞿塘峡／瞿塘峡★★★
qú táng xiá
じゅせいこう／チュウタンシィア

　瞿塘峡は、白帝城から大渓にいたる全長8kmの峡谷。長さは三峡のなかでもっとも短いが、船乗りが細心の注意を払

長江の港では荷物が陸揚げされる

三国志の武将、張飛廟、武勇で知られた

劉備、関羽、張飛、三国志の英雄たち

長江を下るなかで「第一の峡」瞿塘峡

う長江最大の難所として知られてきた。とくに瞿塘峡西の入口にあたる夔門は天下雄の誉れがあり、その後も両岸から断崖がせまり、荒々しく変化に富む景色が続く。唐代、この地を訪れた白居易は『夜入瞿塘峡』で「瞿塘天下險／夜上信難哉／岸似雙屏合／天如匹練開」と詠んでいる(今の忠県にあたる忠州刺史に任じられた白居易は長江をさかのぼって着任した)。

大渓文化遺址／大渓文化遺址 ★☆☆
dà xī wén huà yí zhǐ
じゅせいこう／ダァシィウェンファアイィチィ

瞿塘峡と巫峡のあいだに位置する大渓文化遺址。1958年、ここで今から6500年前の新石器時代の遺構が発見された(稲作跡も確認されている)。また1980年代の三峡ダムの工事中、巫峡の近くで大渓文化遺址をはるかにさかのぼる200万年前の人間(巫山原人)の歯の化石が発見された。長江流域での古代文明の存在は、黄河中流域を中国文明の揺籃の地と見ていた当時の常識をくつがえすものとなった。

小三峡／小三峡 ★★☆
xiǎo sān xiá
じゅせいこう／シャオサンシィア

大寧河がつくる峡谷、竜門峡、巴霧峡、滴翠峡から構成される小三峡。三峡ダムの建設で景観が変わった三峡地区のなかで、新たに注目されるようになった。小三峡の川底が浅いところから、巫山の街で小さな船に乗り換え、渓流をさかのぼる。小三峡の美しさは「三峡にあらずして、三峡に勝る」とも言われ、小三峡の上流部では紀元前から巴文化が栄えていたことでも知られる。紀元前5世紀ごろの崖のくぼみに死者を葬った木棺(長江流域では山のうえから吊りさげるこのような埋葬方法が見られた)、断崖に穴をうがってつくる古桟道のあとが残っている。

朝日を受けて川面を輝かせる長江

小三峽

寧廠鎮

大寧河

大昌

三撐峽

秦王峽

長灘峽

小小三峽

滴翠峽

小三峽

巴霧峽

竜門峽

巫山

巫山

巫峽

白帝城

長江

神女峰

瞿塘峽

奉節

0km   30km

N

巫山

小三峽へ

N

巫峽路

寧江路

長江

巫峽へ

0km   3km

小小三峡／小小三峡 ★★☆
xiǎo xiǎo sān xiá
じゅせいこう／シャオシャオサンシィア

　　巫山から大寧河を50kmさかのぼった地点、小三峡に注ぐ
小さな支流の馬渡河に位置する小小三峡(三撑峡、秦王峡、長灘
峡)。三峡ダムの建設で水位があがったことでより魅力的な
景観を見せるようになった。

大昌／大昌 ★☆☆
dà chāng
じゅせいこう／ダァチャン

　　河口から60km離れた大寧河の上流に位置する大昌。ここ
は紀元前から巴国の中心地がおかれ、各地の物資の交易を
とりもつことで繁栄を見せていた(巴国は三峡の巫山にあった徐
氏の統治した国だったと伝えられ、湖北省を故地とし、夏代に長江を西に
さかのぼって国を開いたと伝えられる)。三峡ダムの完成で古い街
は沈み、新たな街が姿を現した。

寧廠鎮／宁厂镇 ★☆☆
níng chǎng zhèn
じゅせいこう／ニンチャンチェン

　　古代巴国時代から要地として知られてきた寧廠鎮。この
寧廠鎮には塩分をふくんだ地下水がわく井戸があり、ここ

巫峡／巫峡 ウゥシィア
瞿塘峡／瞿塘峡 チュウタンシィア
★★☆
小三峡／小三峡 シャオサンシィア
小小三峡／小小三峡 シャオシャオサンシィア
白帝城／白帝城 バイディイチャン
★☆☆
大昌／大昌 ダァチャン
寧廠鎮／宁厂镇 ニンチャンチェン
奉節／奉节 フェンジエ

長江へ注ぐ支流の大寧河、小三峡として人気が高い

三峡下りを愉しむ人々

小型船に乗り換えて小三峡を進む

悠久の流れを見せる長江、船が行き交う

では数千年に渡って塩づくりが行なわれてきた(岩塩を吸収した水を窯で煮ることで製塩した)。巴国の経済を支えていたと考えられ、広く長江流域でこの寧廠鎮の塩が取引された。

巫峡／巫峡★★★
wū xiá
じゅせいこう／ウゥシィア

　重慶市巫山から湖北省官渡口(巴東)にかけて45km続く巫峡。両岸に切り立った絶壁がせまり、長江北岸と南岸にそれぞれ6峰ずつ巫山十二峰が連なる(北岸に登竜峰、聖泉峰、朝雲峰、望霞峰、松巒峰、集仙峰、南岸に飛鳳峰、翠屏峰、聚鶴峰、浄壇峰、起雲峰、上昇峰と続き、北側はすべて見えるが、南側は長江からは最初の3つしか見えない)。峡谷が美しい景観を見せるなか、神女峰や孔明の碑も位置する。詩人陳子昂は『度荊門望楚』で「遥遥去巫峡(遥々巫峡を去り)／望望下章台(望々章台を下る)／巴国山川尽(巴国の山川尽き)／荊門煙霧開(荊門、煙霧開く)」と詠んでいる。

天女にまつわる伝説

　巫山十二峰のひとつ望霞峰は、そのいただきに乙女が立っているような石があることから神女峰とも呼ばれる(望霞峰は、朝に霞がかかることにちなむ)。巫峡のあたりには天女にまつわる伝説がいくつも残り、天女が下界に降りてきて楚の襄王と一夜を交わしたというもの(長江流域は春秋戦国時代の楚にあたる)、また神女峰の神女は西王母の娘で、兎の治水事業に助力したとも言われる。神女は朝に雲となり、夕に雨となって姿を現すという。

巫峡、長江両岸から山がせり出している

巴東三峡ダム城市案内

「三峡を見ざれば長江を語れず」
巫峡を抜けた長江は湖北省へ到達する
山間から湖北平原へ出る悠久の流れ

神農渓／神农溪★☆☆

shén nóng xī

じゅせいこう／シェンノンシィイ

巫峡を抜けた官渡口に流れこむ神農渓。神話上の農業神である神農がこの流れの上流に棲んでいたと言われ、自生する草を採集して薬草をつくり信仰を集めるようになった（茶を飲んで解毒した）。神農渓のあたりは美しい自然が広がり、少数民族土家族の人々が暮らしている。

舟引き豌豆角

川底の浅い場所では、エンジン付きの大型船は入ることができず、昔ながらの木造船が使われてきた（えんどう豆のさやのような豌豆角と呼ばれる船が活躍した）。とくに浅瀬や激流では長い竿を利用して進む、人夫が船を降りて掛け声をあわせて綱で船をひくといった光景が見られた。これらの仕事は地元の土家族のあいだで代々受け継がれてきた職業で、裸になった人々がロープをひく様子はかつて長江各地の難所で見ることができた（場所によっては15kmも船をひくことがあったという）。現在はおもに観光船をひくようになっている。

巴東～三峡ダム

小三峡
小三峡
重慶市
白帝城
巫山
瞿塘峡
巫峡
神農渓
興山
巴東
屈原祠
官渡
巴東
香渓
三峡ダム
西陵峡
三峡ダム
宜昌
宜昌
湖北省
恩施土家族
苗族自治州
荊州
襄陽

0km   200km

N

巴東

神農渓
興山
巴東
官渡口
長江
重慶市
湖北省
屈原祠
香渓

N

0km   50km

巴東／巴东 ★☆☆

bā dōng

じゅせいこう／バァアドン

　巴東は巫峡を抜けたところにある湖北省の港町で、巴国
の東側に位置することからこの名前がつけられた。古い街
は三峡ダムの完成で水中に沈んだが、現在、長江の南北を結
ぶ巨大な長江大橋がかかっている。

屈原祠／屈原祠 ★☆☆

qū yuán cí

じゅせいこう／チュウユエンツー

　中国最高の詩人にもあげられる屈原は、現在の湖北省西
部、三峡そばのこの地で生まれ育った。ときは春秋戦国時
代、長江流域には楚国があり、屈原は官吏として宮仕えをし
ていた。楚の国は広大な領土をもち、物資も豊富だったが、
やがて西方の大国秦が力を伸ばしてきた(楚は長江の水運を利
用できたところから東西に面積が広かった)。屈原は内政改革を進
め、斉などと連合して秦にのぞむことを主張したが、宮廷の
一派にうとまれ、やがて放逐された。屈原は絶望して川に身
を投じたが、屈原とその弟子たちなどが編んだ『楚辞』は『詩

経』とならぶ中国古代詩として知られ、国家の危機にあたって屈原が繰り返し読まれるようになった。屈原祠の東方には屈原紀念館も位置するほか、西周代にはこのあたり(秭帰)に楚の都がおかれていた。

屈原と端午の節句

　ちまきを食べ、竜船競漕が行なわれる端午節。この端午節は屈原が汨羅(川)に身を投げたという旧暦の5月5日にちなみ、屈原が身を投げたと聞いた人々が競って船をこぎ、屍を守ろうとしたことが竜船競漕のはじまりだという。また、もち米を草の葉に包んでちまきを川に投げ入れるのは屈原の屍を食べさせないようにするためだとされる(端午節のころ、葉や茎が成長して薬用に使えるようになる。ショウブをかけ、酒をまくことは病気の予防によい)。実際、こうした習慣は呉越の地では古くから行なわれていたが、宋代、端午節には屈原を記念するようにと朝廷からのおふれがあって広まったのだという。

香渓／香溪 ★☆☆
xiāng xī
じゅせいこう／シィアンシィイ

　香渓河が長江に流れこむ地に開けた香渓の街。中国絶世の美女として知られる王昭君が水浴びをしたところ、たちまちよい香りがただよったことからこの名前がつけられた。紀元前、香渓の街の上流で王昭君は生まれた。

興山／兴山 ★☆☆
xīng shān
じゅせいこう／シンシャン

　長江から香渓河の上流に位置する興山は、王昭君の故郷「美人の里」として知られる(春秋時代の西施、前漢の王昭君、後漢の貂蟬、唐の楊貴妃が中国四大美女)。王昭君の生まれた宝瓶村(昭君

どこまでも続く流れ、長江は龍にたとえられる

三峡の水位があがったことで、新たな名所も現れた

かつて水深のない場所では人夫が綱で船をひいた

崖に木棺を安置するこの地方の文化

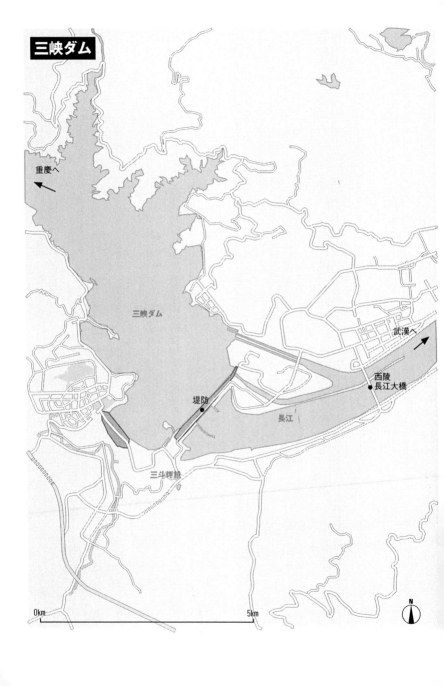

村)の住民の多くが王姓をもち、王昭君にまつわる博物館が
立つ。

匈奴に嫁いだ王昭君

　王昭君は前漢の元帝の宮女だったが、後宮の数があまり
にも多かったので、皇帝は絵師に描かせた肖像画を見て夜
の相手を選んでいた。後宮たちは競って絵師に賄賂を送っ
て自分を売り込んだので、王昭君は皇帝の目にふれること
がなかった。紀元前33年、前漢では北方の匈奴との和親政策
のために後宮の女性を差し出すことになり、王昭君が選ば
れた。皇帝ははじめてみる王昭君の美しさに驚いたが、とき
すで遅く呼韓邪単于の妻として王昭君は彼の地で骨を埋め
た。

西陵峡／西陵峡★★★
xī líng xiá
じゅせいこう／シィリンシィア

　瞿塘峡、巫峡から続く三峡のうち、もっとも下流に位置す
る西陵峡。香渓から南津関までの66km続く。曲がりくねっ
た激しい流れをもつことから、三峡でも難所として知られ
てきた。西陵峡では奇岩や美しい景観が続く黄牛峡が見ら
れるほか、神話時代の禹王を助けた聖なる牛がまつられた
黄陵廟も残っている(諸葛孔明が再建させた)。

三峡ダム／三峡大坝★★☆
sān xiá dà bà
じゅせいこう／サンシィアダァアバア

　三峡ダムは高さ185m、長さ1983mの世界最大のダムで、

湖北省宜昌から600㎞上流の重慶までが貯水池となっている。長江の流れをせきとめ、水力発電を行なうというプランは、1919年に孫文によって提唱され、以来、調査、設計、実験が繰り返されて2009年に完成した（また洪水対策、農業用水の確保の目的もあった）。三峡ダムの完成で長江の水位があがり、多くの街や村が水没して生態系も変化し、三峡の景観も変わってしまった。一方で1万トン級の船舶が重慶まで遡行できるようになり、長江は龍頭にあたる上海、龍腹の武漢、龍尾の重慶を結ぶ黄金水道となったとも言われる。三峡ダムの水位落差は113mあることから、5段階の水門で船の往来が管理されている。

三峡ダムの建設に活躍した巨大なブルドーザー

世界最大規模の三峡ダム、莫大な電力を生む

完成までに多くの苦難があった

どのようにしてダムが築かれたか展示が見られる

Damu No Kensetsu
巨大ダムの建設と誕生

宜昌から重慶までを巨大なダムとする三峡ダム
万里の長城の建設にもたとえられた
前代未聞の国家プロジェクト

超国家計画

　長江は紀元前185年から1911年までのあいだに200回以上もの洪水を引き起こしてきた（1954年には100年に一度の大洪水が発生し、武漢、南京などで3万人の死者を出した）。中国では古くから「水を制する者が天下を制する」と言われ、孫文が1919年に提出した実業計画以来、綿密な地質調査、それまでにない巨大なダム建設に耐えうる設計案が練られてきた。また「更立西江石壁」（長江の西部に石壁が新たに立つ）と述べるなど、毛沢東も三峡プロジェクトに興味を示してきた。1992年に三峡ダムプロジェクトの着工が決まり、2009年に完成した。

なぜこの地が選ばれたか

　三峡ダムは宜昌から40km上流にさかのぼった三斗坪に建設された。この地が選ばれたのは、三峡地域のなかでもっとも強固な花崗岩の地盤をもつためで、適切な場所はここしかなかったという（三峡地域の多くが山稜にしめられ、しかももろい石灰岩が多かった）。ダムの建設と同時に、長江の豊富な水量を活かすため、北京や華北方面に長江の水を送ることも考えられた（「南水北調」）。

重慶直轄市の誕生

　巨大ダムの建設で長江流域の街や農村が多く水没し、113万人もの住民が立ち退かなくてはならない状況になった。この移住民の新たな住宅や雇用対策、農地確保を行なうため、重慶は周辺の街をあわせて中国第4の直轄市となり、「三峡庫区百万移民」「扶貧」「老工業基地改造」「生態環境保護」がかかげられた(当初、三峡省の設置も検討されたが、四川省と湖北省の思惑の相違から重慶直轄市が設立された)。湖北省、湖南省、江西省、安徽省など幅広い地域に移住者が出たが、重慶市の移住者が全体の85％を占め、人口3000万人の巨大な市域が誕生した。

Yi Chang-Wu Han
宜昌武漢城市案内

重慶から長江をくだって650㎞
三峡下りの終着点、湖北省の宜昌
ここから下流地域には広大な平野が開けている

宜昌／宜昌 ★☆☆
yí chāng
じゅせいこう／イィチャン

　宜昌は湖北省と四川省を結ぶ水上交通の要衝。三峡ダムの下流40㎞、長江の北岸に位置し、三峡下りの終着点にもなっている。宜昌から下流の長江はより雄大な姿を見せ、多くの汽船が行き交っている。また葛洲壩ダムが位置する。

水上交通で結ばれる街

　陸上交通が発達する以前の長江流域では、河川交通がほとんど唯一の水路となっていた(南中国では水上交通によって産業や文化が伝播した)。この長江の水利に注目したのが近代のイギリスで、19世紀、上海から重慶にいたる通商権を獲得して内陸中国にも進出した。やがて伝統的なジャンク船に代わって蒸気船が行き交い、自動車や石炭を満載した貨物船が長江を往来するようになった。長らく大型船は宜昌までしか遡行できなかったが、三峡ダムの完成とともに重慶にも大型船が到達できるようになった。重慶、宜昌、武漢、南京、上海といった都市が長江の流れで結ばれ、黄金水道の名で呼ばれている。

宜昌

葛洲壩ダム

長江

三峡
大学

夷陵大道

西陵一路

県童
公園

宜昌駅

東山大道

沿江大道

夷陵
長江大橋

0km   3km

N

宜昌～武漢

三峡ダム
宜昌
荊門
漢江
武漢
荊州
湖北省
長江
洞庭湖
岳陽
湖南省
江西省
南昌
N
0km
長沙
300km

武漢

漢口駅
地下鉄3号線
地下鉄2号線
長江
旧漢口租界
地下鉄2号線
礄口
漢江
武漢長江大橋
黄鶴楼
武昌
東湖
漢陽
武昌駅
N
0km
10km

荊州／荆州★☆☆
jīng zhōu
じゅせいこう／ジンチョウ

　荊州は春秋戦国時代に楚の都がおかれた歴史をもつ古都。長江や運河で各地へ通じる要地で、南の湖南省、西の四川省と省都武漢を結ぶ地点に位置する。三国時代、荊州をめぐって激しい争いがあったことでも知られ、「兵家必争の地」と言われてきた。

武漢／武汉★★★
wǔ hàn
じゅせいこう／ウゥウハァン

　長江と漢江が合流する湖北省の省都、武漢。武昌、漢陽、漢口の3つの街をあわせてひとつの巨大都市を構成し、この省の政治、文化、経済の中心地となっている。東西を結ぶ長江の水利、また南北を結ぶ鉄道京広線が交わる要地で、中国の代表的な工業都市として知られる。重慶、南京とならぶ三大火炉(かまど)にあげられる灼熱の夏がめぐる気候をもつ。

歴史と文学堪能の旅

**三峡が三国時代の呉と蜀をわけたように
三峡の上流と下流では人々の文化、習慣は大きく違っている
名勝や古跡が多く残る三峡沿岸**

巴の文化

　古代、三峡から重慶にかけては巴と呼ばれ、この地域は漢族とは異なる民族が暮らす地があった。巴に暮らしていた巴人は、長江を行き交う漁労の民だったと考えられ、稲作や漁業、交易を生業としていた。また三峡近郊では今でも鵜飼いが行なわれ、歌垣や文身断髪などとともに、長江流域から雲南省、東南アジア北部と西日本に共通して見られる習俗が残っている(この古代倭族の文化は、照葉樹林文化の名前でも呼ばれる)。

三国志と三峡

　劉備玄徳は河北の袁紹のもとに関羽、張飛とともに身を寄せていたが、やがて曹操の力が強まるなか、荆州(湖北省)の劉表の客人となった。207年、ここで劉備玄徳は諸葛孔明と出会い、三峡を越えて蜀に入り、華北の魏と江南の呉と天下をわける「天下三分の計」を説かれた。華北を平定した曹操が南方遠征に出発しようとしたところ、荆州の劉表が病死し、208年、劉備は呉の孫権と同盟を結んで曹操を迎え撃った(赤壁の戦い)。曹操を破ったあと劉備玄徳は三峡をさかのぼって四川盆地に入り、蜀を建国したが、依然、荆州をめ

歴史と文学に彩られた三峡

『李白と杜甫』（高島俊男/講談社）を参考に作成

N

黄河

魏

宦渡

安史の乱で長安を去った杜甫のルート

五丈原

長安（西安）

25歳の李白が故郷蜀を旅立ったルート

成都

白帝城

夷陵

江陵（荊州）

建業

長江

三峡

涼州（重慶）

峨眉山

蜀

赤壁

呉

3世紀、三国時代の魏呉蜀の領土と
8世紀、唐代の詩人李白と杜甫のルート

ぐって孫権と対立が続いていた。荊州を守っていた関羽が呉軍に殺されると、その仇討ちのために劉備は成都から長江をくだったが、夷陵の戦い(宜昌)で返り討ちにあい、白帝城に退却して223年、その生を終えた。

詩人たちが詠んだ三峡

音韻や技法などが洗練され、中国詩の最高峰にあげられる唐詩。三峡の美しい景観は唐代の詩人に愛され、いくつもの名作が現在に伝えられている(詩情を醸し出す猿やホトトギスの鳴き声は長江流域のものだった)。とくに玄宗皇帝の時代、安史の乱を逃れるように放浪を続けた詩聖杜甫は、四川から長江を下り、白帝城に居を構えて多くの詩を詠んだ(三峡下流の洞庭湖付近、船上で生涯を終えたとされる)。またその杜甫よりも10歳年上で、杜甫とならび称される詩仙李白も25歳のとき、蜀の清渓から長江を下り、そのとき『峨眉山月歌』を残している。「峨眉山月半輪秋(峨眉山月半輪の秋)/影入平羌江水流(影は平羌江水に入って流る)/夜発清渓向三峡(夜清渓を発して三峡に向かう)/思君不見下渝州(君を思えども見えず渝州に下る)」。

『三峡ダム 建設の是非をめぐっての論争』(戴晴・鷲見一夫/築地書館)

『古代中国と倭族』(鳥越憲三郎/中央公論新社)

『中国長江歴史の旅』(竹内実/朝日新聞社)

『長江物語』(飯塚勝重/大修館書店)

『長江流域経済圏の研究』(出江秋利/同文舘)

『唐詩』(村上哲見/講談社)

『地獄変 中国の冥界説』(澤田瑞穂/平河出版社)

『悠久の長江三峡』(日本放送出版協会/NHKソフトウエア)

『世界大百科事典』(平凡社)

[PDF]重慶地下鉄路線図http://machigotopub.com/pdf/chongqingmetro.pdf

[PDF]重慶空港案内http://machigotopub.com/pdf/chongqingairport.pdf

OpenStreetMap

(C)OpenStreetMap contributors

三峡下り〈重慶〜宜昌〉／長江「悠久」

まちごとパブリッシングの旅行ガイド

Machigoto INDIA , Machigoto ASIA , Machigoto CHINA

マカオ-まちごとチャイナ

Juo-Mujin（電子書籍のみ）

自力旅游中国Tabisuru CHINA

重慶

N

0km 300km

重慶市街

N

0km　　　　　　　　　　　　10km

重慶～万州

Ｎ

0km 100km

万州区

N

0km   5km

万州〜巫峡

瞿塘峡

0km   10km

N

小三峡

巫山

0km   3km

N

巴東～三峡ダム

0km　　　　　　　　　　200km

巴東

N
0km　　　　　　　　　　50km

三峡ダム

0km 5km

N

【車輪はつばさ】
南インドのアイラヴァテシュワラ寺院には
建築本体に車輪がついていて
寺院に乗った神さまが
人びとの想いを運ぶと言います

An amazing stone wheel of the Airavatesvara Temple
in the town of Darasuram, near Kumbakonam in the South India

まちごとチャイナ
重慶 003

三峡下り（重慶～宜昌）
長江「悠久」
[モノクロノートブック版]

「アジア城市（まち）案内」制作委員会
まちごとパブリッシング
http://machigotopub.com

・本書はオンデマンド印刷で作成されています。
・本書の内容に関するご意見、お問い合わせは、発行元の
　まちごとパブリッシング info@machigotopub.com までお願いします。

まちごとチャイナ
新版 重慶003三峡下り（重慶〜宜昌）
〜長江「悠久」

2020年 8月15日　発行

著　者　　「アジア城市（まち）案内」制作委員会
発行者　　赤松　耕次
発行所　　まちごとパブリッシング株式会社
　　　　　〒181-0013　東京都三鷹市下連雀4-4-36
　　　　　URL http://www.machigotopub.com/
発売元　　株式会社デジタルパブリッシングサービス
　　　　　〒162-0812　東京都新宿区西五軒町11-13
　　　　　清水ビル3F
印刷・製本　株式会社デジタルパブリッシングサービス
　　　　　URL http://www.d-pub.co.jp/

MP237